KB117559

너의 하루를 안아줄게

감성 콜라보 에디션

너의 하루를 안아줄게 _ 감성 콜라보 에디션

지은이 최대호×낭만배군
펴낸이 최정심
펴낸곳 (주)GCC

초판 1쇄 발행 2018년 11월 5일
초판 4쇄 발행 2018년 11월 20일

출판신고 제 406-2018-000082호
주소 10880 경기도 파주시 지목로 5
전화 (031) 8071-5700 팩스 (031) 8071-5200

ISBN 979-11-89432-34-8 03810

저자와 출판사의 허락 없이 내용의 일부를
인용하거나 발췌하는 것을 금합니다.

가격은 뒤표지에 있습니다.
잘못 만들어진 책은 구입처에서 바꾸어 드립니다.

www.nexusbook.com

너의 하루를 안아줄게

최대호 X 낭만배군 지음

감성 콜라보 에디션

넥서스BOOKS

가을이 내려앉은 밤.
버티는 것도, 힘내는 것도 어려웠던 날.
아무 생각 없이 걷고 싶은 마음이 들 때.

예쁜 시 구절이 마음을 다독입니다.

"잠들기 전 예쁜 이 시간 힘든 걱정 대신
포근한 행복으로 가득 찼으면 해요."

걱정 말라고, 다 잘될 거라고
내게 말하는 것 같아 마음이 따뜻해집니다.

졸린 눈 비비며 커피로 잠을 쫓는 아침 출근길.
사람들에게 치여 뭉개진 자존심 챙겨
지친 몸으로 퇴근할 때.

설탕 한 스푼을 뿌린 듯
달달한 감성 사진을 보고 따뜻한 위로를 받습니다.

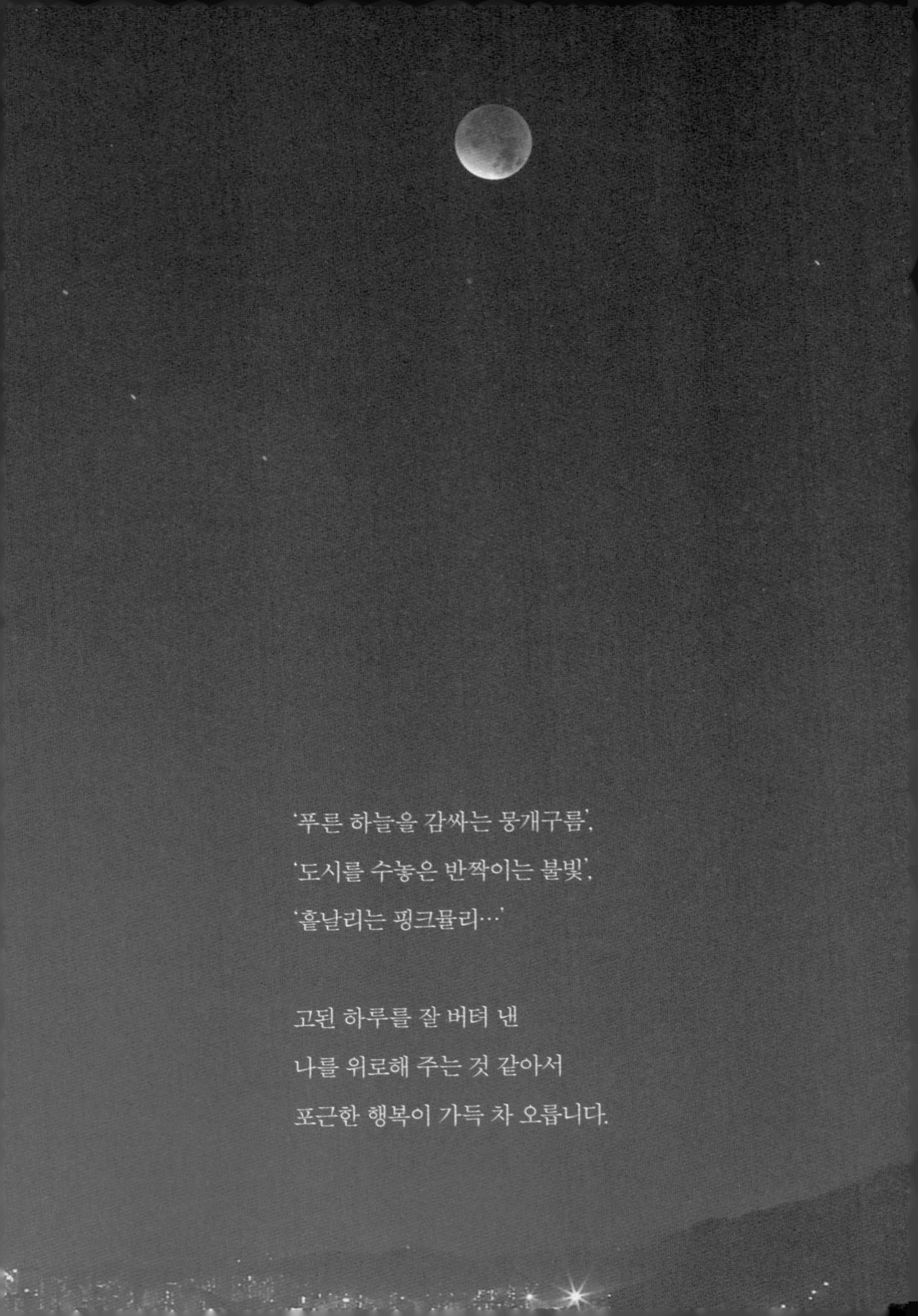

'푸른 하늘을 감싸는 뭉개구름',
'도시를 수놓은 반짝이는 불빛',
'흩날리는 핑크뮬리…'

고된 하루를 잘 버텨 낸
나를 위로해 주는 것 같아서
포근한 행복이 가득 차 오릅니다.

따뜻하게 감싸 오는 달빛에
누군가는 글을 쓰며
또 누군가는 사진을 찍으며

위로받습니다.

빛바랜 글에, 부족하나마
당신의 하루하루가
되길 바라며 찍은

소소한 풍경을 올립니다.

하기 싫지만 다 해냈고

어렵지만 잘 마쳤고

궂은 길도 묵묵히 헤치고 걸어가는

대견한 당신께

베스트셀러 『읽어보시집』
최대호 작가의 글에

SNS 인기 사진작가
낭만배군의 사진을 더해 만든

이 책을 드려요.

안아주고 싶어요,
당신과 당신의 하루까지

다가가서 그냥 안아주었습니다.
당신이 힘들어할 때,
수백 마디의 말 대신 그냥 따뜻하게 안아주었습니다.
당신의 마음을 알아주고 싶어서,
앞으로 걱정하지 않았으면 해서…

오늘도 수고했습니다.
사실 긴 하루였습니다.
걱정은 하나하나 해결해도 끝이 없고
행복이 찾아오는 횟수만큼 아픈 날도 많았습니다.
그런데 당신은 이렇게 잘 이겨 내고 있습니다.

이젠, 혼자 아파하지 않았으면 합니다.
혼자 이겨 내려 하지도 않았으면 합니다.
가끔 '나는 혼자야.'라는 생각을 한다면
그 생각을 하게 해서 미안합니다.

이 책이 당신 옆에서 조곤조곤 당신의 이야기를 들어 주고
힘들 때 펼쳐 보면 위로가 되는 책이었으면 합니다.
당신을 안아줄 수 있는 책을 만들고 싶었습니다.
힘들 때 기댈 수 있고 외로울 때 생각나는 그런 책.

짧은 시에 내 마음 담아
당신을 웃게 하는 게 내겐 더 익숙한 일인데,
짧은 시만으로는 당신을 응원하고픈,
당신을 위로하고픈
내 마음이 다 전해지지 않을 것 같아
서툴지만 당신께 전하고픈 내 마음을 담아 길게 적었습니다.

천천히 읽어 주세요.
당신은 참 예쁘고 귀한 사람이란 걸,
지금껏 잘 해 왔다는 걸,
또, 앞으로도 씩씩하게 잘 해낼 거란 걸
알게 하는 책이면 좋겠습니다.

최대호

당신께 전하는
사진에 설탕 한 스푼

제일 예쁜 지금을 간직하고 싶어서
주변에서 흔히 볼 수 있는 일상이지만
사진에 설탕 한 스푼을 뿌리 듯
조금은 특별한, 조금은 각별한 마음을 담아 찍습니다.

힘들면 조금씩, 천천히 올라가세요.
서두르면 정상에 빨리 도착하겠지만
좋은 풍경은, 자연과 함께 호흡하는 시간은
놓칠 수 있으니까요.

그러니 천천히.

사진을 찍을 때,
조그마한 프레임 안에 들어오는 풍경을 보며
일상의 잦은 고통과 피곤함을 떨치고
따뜻한 위로를 받습니다.

그런 마음들이
사진을 보는 당신에게도 전해지길,
지친 일상에 작은 위로와 치유가 되길
바라봅니다.

낭만배군

Contents

들뜨는 이 기분, 참 좋다

참 고맙다, 내 맘 알아주는 너

#01

괜찮지 않아도 괜찮아

NOT IN SERVICE
0 試運転
906

그 밤

가을이 내려앉은 밤

너와 다른 어떤 것도 말고

그저 같이 걷고 싶은 마음.

/

서운한 건 조금도 못 참으면서
고마운 건 당연하게 생각하는
몇몇 사람들 태도에
마음 아파하지 않았으면 좋겠어.

그런 사람들 평가하지도,
평가당하지도 마.

내가 좋아하는 네 모습이
다른 사람 말 때문에
색을 잃는 게 싫어.

인생에서 기억 나지도 않을
사람에게 마음 쓰기에는
챙겨 주고 안부 물어야 할
네 사람이 많잖아.

네 사람들에게
잘 지내냐고
요즘 어떠냐고
묻는 것만으로도
기분 좋아지고
마음 따뜻한 하루가 될 거야.

가까운 사람과 커피 한 잔
좋아하는 사람과 밥 한 끼
그리운 사람과 전화 한 통,
따뜻한 하루를 만들어 주는 건
대단하지 않은 이런 소소함.

그러니
있는 그대로의 너로 살아.
나는 그런 너를 좋아할게.

괜찮은 척

버티라고 하지 않을게.

힘내라고 하지도 않을게.

네 마음 알아주고 안아주고

이렇게만 있어 줄게.

/

힘들면 힘들다고 말해 줘.
괜찮은 척 아무렇지 않은 척
마음 숨기지 않아도 돼.

주어진 상황이 어렵고
막막하기도 하겠지만
지금 네가 더 힘든 이유는
지쳤기 때문이야.

계획한 대로 잘 안 되고
방황하고 있는 것 같고
그래서 답답하고 마음이 안 좋을 때.
그럴 때,
누군가에게 털어놓지 못하고
혼자 이겨 내려고 한다면
아픔의 시간은
더 길고 어두울 거야.

힘들다고 말하면
주변 사람들이 떠날까 봐
듣는 사람들이 지칠까 봐
참고 있다면 그러지 않아도 돼.

네 곁에 있는 사람들은
다 네 편이고 널 잘 아니까
네가 참을 만큼 참다가
더는 버틸 수 없을 때
힘듦을 털어놓는다는 걸 알아.

힘든 일 있을 때
내게 다 말해 줘.

잘 듣고 네 편드는 일,
그거 내가 제일 잘하잖아.

곁에 있을게

궂은 날씨,

울퉁불퉁한 길,

다 헤치고 달려가

당신과 오랫동안

있어야겠습니다.

우리 예쁘게 넘겨요.

하루하루를
책의 페이지라고 생각해 봐요.

한 장 한 장 예쁘게 넘겨야
다음 페이지도 잘 펴지고
책 모양도 망가지지 않잖아요.

오늘 안 좋은 일이 있었다면
그건 당신 잘못이 아니니까
당신은 잘하고 있으니까
지금 이 시간 예쁘게 보내요.

하루의 마지막을 잘 보내면
분명 예쁜 내일이 올 거예요.

잘 자요.

걱정 없는 밤

잠들기 전 통화에서

너의 지친 목소리,

잘 안 풀리는 일들,

걱정되는 내일을 듣고

내가 꼭 해 주고 싶은 말은

세상에서 제일 예쁜 꿈,

네가 오늘 꿨으면

좋겠다는 말.

/

"오늘도 고생했어."

지친 하루 끝에 너에게 가장 해 주고 싶은 말이야.

아침에 무거운 몸 이끌고 일어나서

커피로 잠을 쫓고

종일 그 많은 일 처리하고

지친 몸으로 집에 돌아오는 거 다 알아.

이렇게 바쁘게 사는 너에게

내가 장담할 수 있는 게 하나 있어.

지금은 힘들고 매일 쳇바퀴 돌 듯 사는 것 같아서,
때로는 허무하고 때로는 희망이 없어 보이지만,
세상은 아직 노력하는 사람에게 행복을 주더라.
곧 찾아올 거야.
네가 바라는 크고 작은 행복.

한 가지 부탁하자면
피곤, 지침, 짜증, 걱정… 그런 것들
회사에 다 두고 왔으면 해.

집에 올 때는 온전히 너만,
왔으면 좋겠어.
잠들기 전 가장 사소하고 예쁜 시간을
안 좋은 생각들이 뒤덮는 게 마음 아파서…

너의 행복이
알맞은 시기에
알맞은 주소로
찾아가길 바랄게.

믿어도 돼

나도 당신도

우리는 참,

대견하다.

하기 싫지만 다 해냈고

어렵지만 잘 마쳤고

먼 길도 묵묵히 걸어왔다.

당신은 그런 사람이다.

그렇게 대단한 사람이다.

살다 보면,
'이거 내가 한 거 맞나?' 싶을 만큼
꽤 괜찮은 일을 해내기도 한다.
얼마 전, 광고에 쓰일 시를 의뢰받아
몇 년 전 쓴 노트를 뒤적여 보는데,
스스로 대견한 생각이 들 만큼,
마음에 드는 시가 있었다.
그 당시는 한없이 부족하고 형편없게 느껴져
사람들 앞에 내보이기 부끄러웠던 시다.

우리는 살면서 크든 작든 수많은 난관을 만난다.
많이 해 본 일이어도 걱정이 앞서고,
준비를 많이 해도 긴장하곤 한다.
지금까지 큰 문제 없이 잘 해 왔는데,
난관에 부딪히면 매번 작아진다.

이렇게 약해질 때,
극복하는 법은 생각보다 간단하다.
그저, 자신을 믿는 것.

지금보다 더 좋지 않은 상황도 있었지만,
그때마다 당신은 어려운 걸 다 이겨 냈다.

당신은 생각보다 훨씬 강한 사람이다.
자신을 믿어 보자.
그리고 결국 또 한번 해낼 사람 또한 당신이니까.

그러기에 당신은,
자신을 믿어도 된다.

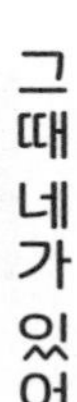

그때 네가 있어서

추운 겨울 날, 네가 잡아 준 손의 온기로

나는

봄을

만났다.

힘을 내고 싶어도
일어설 용기조차 나지 않을 때가 있다.

그때는
아무 말없이
내 옆에 앉아 손 꼭 잡아 주는 사람,
그저 등을 토닥토닥해 주는 그 사람이
참 고맙다.

"널 속상하게 한 사람을
때려 줄 수도
혼내 줄 수도
찾아갈 수도 없지만,
네가 얼마나 소중한 사람인지
느낄 수 있게,
안아줄 수는 있어…"

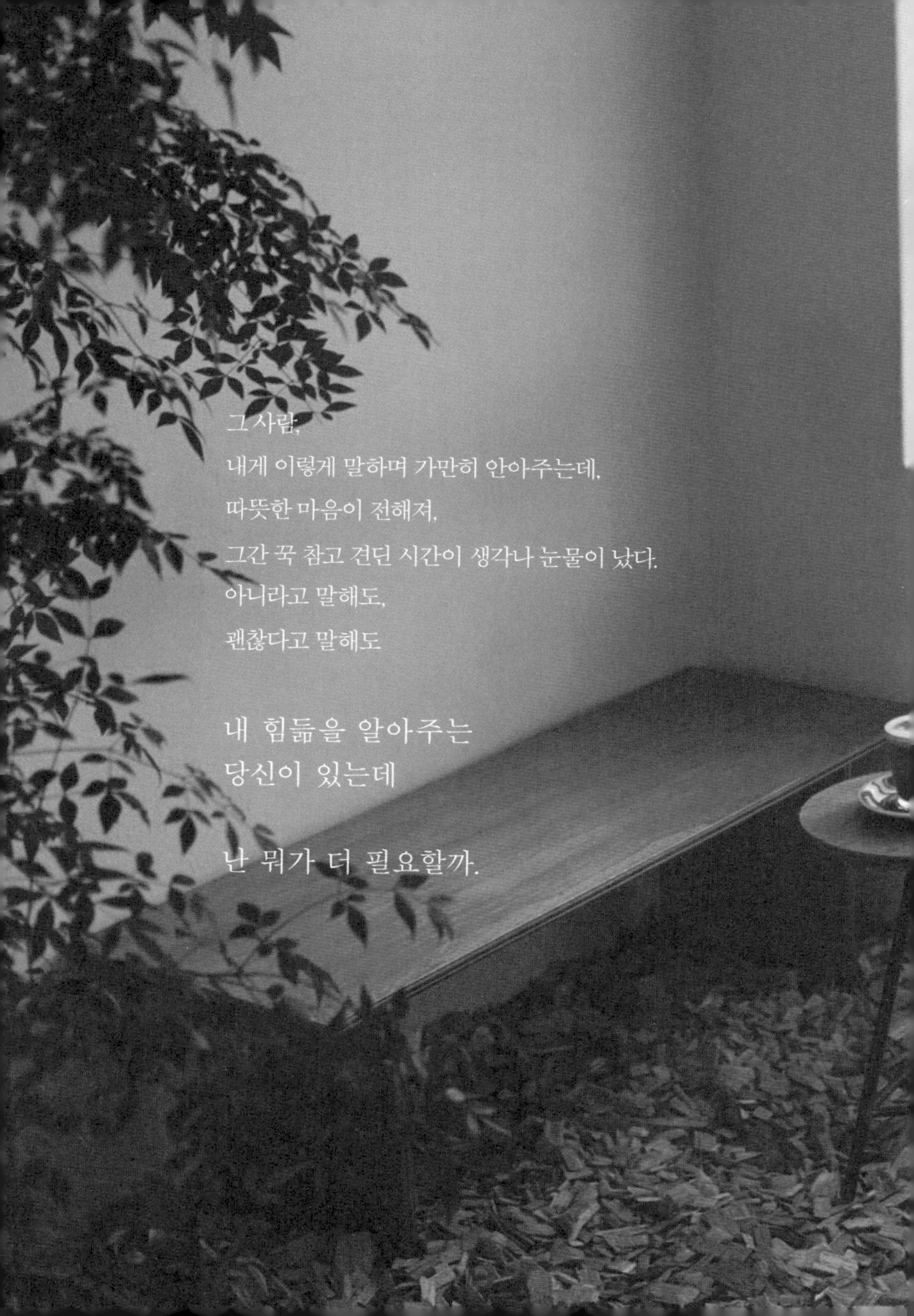

그 사람,
내게 이렇게 말하며 가만히 안아주는데,
따뜻한 마음이 전해져,
그간 꾹 참고 견딘 시간이 생각나 눈물이 났다.
아니라고 말해도,
괜찮다고 말해도

내 힘듦을 알아주는
당신이 있는데

난 뭐가 더 필요할까.

물들여 줘

"밥 먹었어?"

"내일 뭐 해?"

"커피 마실까?"

"영화 보러 갈까?"

모두

'너 예뻐'라는 마음을

돌려서 하는 말.

/

그녀가 꽃을 봤다.
바빠서 그냥 가려고 했다.
너무 예쁜지 한참을 봤다.

나도 그녀처럼 한참을 봤다.
바쁜 걸음 멈추게 하는
그녀의 모습이 너무도 예뻐서
나도 모르게
꽃을 보는 그녀를 한참을 봤다.
그리고는 그녀에게 꽃을 선물했다.

그녀의 웃음이 보고 싶어서,
꽃을 보면 늘 행복한 미소를 짓는
그녀가 늘 웃을 일만 있기를
바라는 마음으로.

내가 선물한 꽃을 보면서

나와 보낸

소소한 행복이

무채색의 일상을

예쁘게

물들였으면 하는

마음에.

옆에 있을게

넌 무너지기 어려운 삶이다.

응원하는 내가 옆에 있으니.

갑자기 네 삶에
감당하기 힘든 일이 생기거나
아직은 만나지 않아도 되는
고통이 다가왔을 때
위로가 될 어떤 말을 찾아서
섣불리 건네지 않을게.

대신,
오랫동안, 네 옆에 있을게.
사람들에게 치여 다친 마음 쉬어 가기를.

스스로 네 마음 다독여
다시 힘내서 일어서기를
응원할게.

언제나 내 곁에는
세상 누구보다 소중한 널
늘 응원하는 가족,
친구 그리고 사랑하는 사람들이 있다는 거
기억해 줘.

기댈 어깨가 필요하면
옆에 있을게,

술 한잔하고 싶을 때
마주 앉아 있을게.

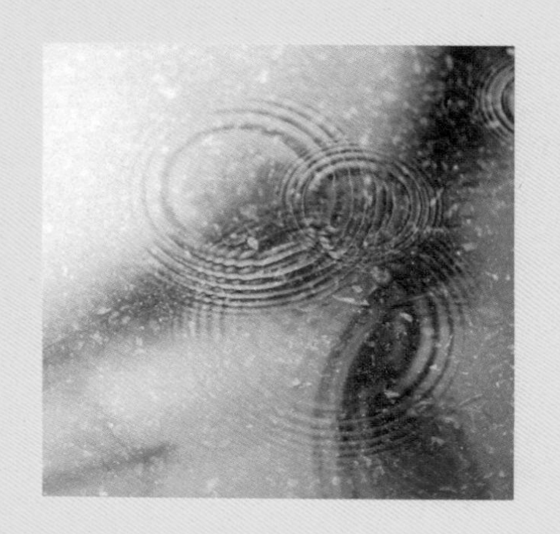

네 마음 알아줄래

지친 너에게,

걱정하는 너에게,

포기하고 싶은 너에게,

"힘내."라는 무책임한 말은 하지 않을래.

대신 "마음이 안 좋았겠다."

"힘들었겠다."라고 네 마음 알아줄래.

/

감당하기 힘들 만큼 아픈 일을 겪어도
혼자 삼켰다.

사랑하는 사람들에게
다 털어놓고 고민을 나누고 싶어도
괜찮은 표정 지을 자신이 없어서,
남자가 되어서 눈물이라도 흘릴까 봐,
그래서 사랑하는 사람들 마음 아프게 할까 봐…

힘든 일이 지나고 한참 후,
이제 괜찮아졌다는 생각이 들었을 때
애써 씩씩한 표정을 지으며 가족들에게 말했다.

부모님은
내 얼굴을 지그시 보면서 한 마디 하셨다.

“혼자서 얼마나 힘들었니?”
목이 메어 오는 걸 억지로 꾹 참으며 생각했다.
나는 아직도 괜찮지 않다는 걸,
그때 나는 위로가 많이 필요했다는 걸.

내 주변의 진짜 '내 사람'은
100% 내 편이다.

때로는 내 사람들에게 기대도 된다.
내 사람들이 힘들 땐 내가 버팀목이 되어 주면 된다.

늘 아무 조건 없이
나를 생각해 주는 내 사람들은

내 삶에
가장 뜨거운 위로다.

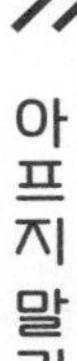

아프지 말기

사람 때문에 아프고

사랑 때문에 아프고

학교 때문에 아프고

회사 때문에 아파요.

그래서

내가 당신 곁에

더더욱 있어야겠네요.

가까운 사람이 어느 순간 멀어지고
신뢰하던 사람이 믿음을 져 버리기도 한다.
반대로 눈만 마주쳐도 으르렁대던 사람과
친구가 되기도 한다.
사람에게 상처받고, 사람 때문에 울기도 하면서
다치기도 했지만, 많이 배우기도 했다.

사회생활을 시작하면서
학교에서는 경험하지 못한 새로운 사람들을 만났다.
그들의 세련된 말과 친밀한 태도에 들떴고,
내 주변에 좋은 사람만 계속 늘어날 것만 같았다.
하지만 믿었던 사람에게 몇 번 아픔을 겪으니
가끔 사람이 무섭게 느껴지기도 했다.
평생 웃는 얼굴만 보일 것 같은 사람도 이해관계가 얽히면
전혀 다른 사람으로 바뀔 수 있다는 것도 그때 알았다.

사람 때문에 아파 보기 전에는
인맥은 넓을수록 좋다고 생각했고,
친구들에게도 많은 사람을 만나 보라고 말하곤 했다.

"넌 왜 보는 사람만 봐?"
"새로운 사람 좀 사귀어라."
그 사람을 잘 알지도 못 하면서,
사람 때문에 어떤 아픔을 겪었는지도 모르면서
이런 무책임한 말을 한 적도 있다.

새로운 사람을 만나는 걸 유독 두려워하는 사람이라면,
사람에게 받은 상처가 많을지도 모른다.
사람 때문에 마음을 다치고, 사람에게 치여 보니,
자꾸 숨고, 선 긋고, 피하는 사람의 마음을 알게 됐다.

새로운 사람을 만나는 데서 오는 기쁨보다
내 사람을 잃는 아픔이 더 컸다.
숨고 싶으면 숨고, 선 긋고 싶으면 긋자.

만나고 싶은 사람만 만나면 된다.
사람 때문에 아프지 말자.

네 마음 다치지 않게

열 명의 사람 중에

한 명이 나를 싫어할 때

나는 나의 아홉 명에게

감사하지 못하고

왜.

그 한 명을 신경 썼을까.

좋아하는 사람에게만 잘한다고 하면,
조금 모나거나
고집스러운 사람으로 비치곤 한다.
그래서 예전에는 성격 좋은 사람처럼 보이고 싶어서
화가 나도 참고, 부당해도 웃어넘겼다.

'내가 좀 손해 보고 말자.' 하는 마음이 컸다.
많은 사람에게 잘하려고 노력했고,
내 감정보다는 다른 사람의 시선을 더 의식했다.
내 마음을 돌보고, 내 감정을 배려하지 못했다.
요즘에는 그 생각이 조금 바뀌었다.

나와 궁합이 잘 맞는 사람이 있는가 하면,
뭘 해도 삐걱거리고,
작은 일에도 더 마음 상하는 사람도 있는 법이니까.
좋았던 관계가 나빠질 수도 있고,
내 의도와 다르게 상대방과 오해가 생겼다면,
언젠가 오해를 풀 기회도 생긴다.

모든 사람에게 사랑받으려고 노력할 필요는 없다.
내가 좋아하는 사람에게만 잘하기에도 인생은 짧고,
내 사람들에게 사랑받는 것만으로도 충분하다.
더는 내가 중심이 아닌 인간관계로
힘들어하지 않기로 했다.

결국 올 사람은 다 오고,
갈 사람은 다 가니까.

남 부럽지 않게 살 게 아니라
나 부끄럽지 않게 살면 된다.

참 예쁘다 너

당신을 만나면

"좋다."

"멋있다."

"예쁘다."

"잘 하고 있다."

"대단하다."라고

말하고 싶어요.

지치는 말은

다른 사람에게 듣는 걸로도

차고 넘칠 테니까.

25
10
5
LOCAL CALL
10¢
LONG DISTANCE
CROSLEY

TV나 SNS를 보면 모든 걸 갖춘 사람이 있다.
키도 크고 얼굴도 예쁜데, 스펙도 좋고, 직업까지…
드라마나 소설 속에만 있으면 좋을 텐데,
현실에도 이런 사람은 많다.

그리고 완벽한 그들을 보며
자신을 한없이 초라하게 느끼는 사람도 있다.
그들과 자신을 비교해 못 가진 것,
못 이룬 것에만 사로잡혀 자격지심에 빠진다.
겉으로 보이는 단편적인 모습만으로
다른 사람들과 비교하면서
자신을 그저 그런 형편없는 루저로 몰아세우지 말자.

인생에서 마주하는 어려운 순간들을
잘 이겨 내 여기까지 온 대견한 사람이다.
당신이 그동안 버텨 온
그 순간순간들을 떠올려 보자.

누군가는 숨이 턱까지 차
중간에 포기해 버렸지만,
졸린 눈 비비며 하루하루 묵묵히 잘 살아 낸
당신의 순간들을…

이 어려운 삶의 순간순간들을
잘 해내고 있는 당신,
칭찬받아 마땅하다.

#02

들뜨는 이 기분 참 좋다

잘 지내나요?

보고 싶어요.

날씨가 추워졌어요.

항상 따뜻하게 입고

감기 조심해야 해요.

아,

내 안부가 또 잔소리 같아서

미안합니다.

/

"밥 먹었어?"라는 말,
무심한 안부 같아도
매일 하기는 어려운 말.

당신에게 매일 그 말을 해 주는 사람이 있다면,
그 사람에게 따뜻하게 대해 줘야 한다.

그 사람,
당신을 좋아하고 있으니까…

좋아해요

딱 좋은 오늘

딱 좋은 바람

딱 좋은 온도

그리고

딱 좋은 너와.

/

"당신을 좋아합니다."
사랑한다는 말보다 더 예쁜 것 같아요.
혹시라도 당신이 부담스럽지 않게
좋아한다고 먼저 말하고 싶어요.

나, 당신을 좋아해도 될까요?
대신 내가 줄 수 있는 모든 걸 줄게요.
시간이 지난 후에,
당신에게 고백한 이 순간을
평생 잊지 못하도록 잘 해 주고 싶어요.

나를 만난 걸
한 순간도 후회하지 않게 해 줄게요.
진심을 담아 말할게요.

만날 날이 다가올 때 기다림이 좋아요.
만나러 갈 때 설렘이 좋아요.
만나고 있을 때 편안함이 좋아요.

볼 수 없을 때 애틋함이 좋아요.
당신과의 미래를 그릴 때 흐뭇함이 좋아요.

한 마디로,
당신이 너무 좋아요.

한 스푼

누군가 나에게

아메리카노를 주었어.

나는 쓴 커피는

안 좋아하는데

시럽은 없고

그냥 마시기에는 너무 써서

네 생각을 넣었어.

3장의 쿠폰을 가진 사람과
7장의 쿠폰을 가진 사람이 만나
닭 한 마리를 시켜 먹는 것이 연애다.

누가 더 잘났고 못났고를 떠나
둘만 행복하면 되니까.

사랑하는 사람을 만나고
'내가 이렇게 행복해도 되나?'라는 생각이 들 만큼
매일매일이 벅차도록 행복하다.
맛있는 걸 보면 그녀가 떠오르고,
좋은 곳에 가면 또 그녀가 생각나 행복하다.

어제보다 오늘이,
오늘보다 그녀를 만날 내일이 행복할 것이다.
나를 만나면 행복하게 웃어 주는
그녀를 보는 게 좋아서
이제는 매일 눈 뜨면 익숙한, 이 행복이 반갑다.

내 일상을 바꿔 주는 사람,
그녀와 함께할 매일을 생각하면

들뜨는 이 기분, 되게 좋다.

우산

우산 있어?

없으면 데리러 갈게.

우산 가져 왔어?

그래도 데리러 갈래.

/

나는 일기예보를 잘 보지 않았다.

집 밖으로 나왔는데 비가 한두 방울 떨어지면
비를 맞다가 근처 편의점에서 비닐우산을 사고,
날씨가 따뜻해졌는지도 모르고
겨울에 입던 파카를 입고 출근하곤 했다.

그런데, 언제부턴가 일기예보는 물론,
미세먼지 수치까지 꼼꼼히 챙긴다.
반팔만 입어도 더운 여름에
겉옷과 우산을 챙기는 습관도 생겼다.

너무 센 에어콘 바람이 당신을 괴롭힐 때
막아 줄 수 있지 않을까 해서,
예고 없이 내리는 소나기에
당신에게 내 우산을 빌려줄 수 있지 않을까 해서…

당신이 나를 바꿨다.
비오는 날에는
하나 있는 우산을
당신에게 주고
나는 비를 쫄딱 맞았는데,
마냥 웃음이 난다.

당신을 데리러 가고
당신을 챙겨 주고
당신을 바래다 주는 것이

내 행복의 전부니까.

SUPER-EBC

Nikon

떡볶이

불공평하다.

내가 널 설레게 하려면

예쁜 말을 하거나

좋은 곳에 데려가거나

뒤에서 안아 줘야 하지만

넌 가만히 있어도

날 설레게 하니까.

/

나는 너무 솔직해서 매력이 없습니다.
표정에,
말투에,
행동에,
내 마음이 그냥 다 보입니다.
사실 그런 마음도 들어요.
숨겨야 하는데 숨기고 싶지 않은…

당신이 좋아하는 거라면 관심이 가요.
당신에 관한 거라면,
기억하려 애쓰지 않아도 머릿속을 맴돌죠.

떡볶이를 좋아한다는 당신의 말이 떠올라서
나는 떡볶이를 볼 때마다 당신 생각이 나요.
어디에 가도 너무 쉽게 볼 수 있어서,
떡볶이를 볼 때마다 핑계 삼아 연락했더니
너무 잦았나 봐요.

혹시 귀찮았나요?

미안해요.

그런데 그것도

당신이 보고 싶은 내 마음에 비하면

많이 참은 건데…

지난 주말,
당신이 지나치게 행복하게
만들어 준 기억 탓에

주말을 기다리는 일상이
더 힘들어졌잖아요.

너를 위한 플랜 B

주말에 새우 먹으러 가자.

오 빠 가 다 까 줄 게 .

/

복잡한 것, 무언가에 대해 알아보는 것,
귀찮은 거라면 아무것도 하지 않던 나였다.
그래서 껍질 까기 번거로운 새우는 안 먹고,
광고인지, 진짜 후기인지 가늠하기 귀찮아
맛집을 찾아다니지도 않았다.

친구들과 여행을 갈 때도 마찬가지다.
미리 장소를 알아보거나 계획대로 되지 않을 때를 대비한
'플랜 B' 같은 건 당연히 짜 본 적이 없다.

여행하기도 전에, 맛있는 걸 먹기도 전에
미리 고민하고 계획을 세우느라
즐거운 상상들이 사라질 것만 같아서
그때의 기분이나 현지 상황에 맞춰 움직이는 편이었다.

innisfree

그러던 내가,
지금은 맛집과 영화 후기를 검색한다.
그녀를 만나고 변했다.
동선을 짤 때는 물론, 메뉴를 정할 때도
그녀가 전날 먹은 음식을 기억해 두었다가
데이트할 때 그 음식은 제외한다.

이제는 그녀를 기쁘게 할 소소한 고민들이,
나의 즐거움이다.

그녀를 만난 후
내게 즐거운 상상이란,
멋진 여행지나 맛있는 음식이 아닌,

그녀와 함께하는
모든 순간이기 때문에…

너의 하루

오랜만에 만나도
꼭 어제 본 것처럼
친근한 내 친구야,

돈 모아서 나중에
같이 카페 하자고,
좋은 곳으로
부부 동반 여행 가자고
했던 거 기억나니?

하나뿐인 내 친구야,

잘 지내고 있지?

/

언제 이렇게 시간이 흘렀는지,
이제는 먼 출퇴근길도 익숙해져
일이 많거나 비가 와서 차가 막힐 것 같을 때는
누가 깨우지 않아도 새벽같이 일어나 출근 준비를 한다.

친구들이 부르는 내 이름보다
회사에서 많이 불리는 직함이 더 익숙하게 느껴질 때면,
하루에도 몇 번씩 내 이름을 부르던
친구들이 생각난다.

우리는 그랬다.
교복 대신에 사복을 입고 싶고,
유명 연예인처럼 머리를 기르고 염색도 하고 싶고,
공부는 하기 싫었다.

항상 반대로만 하고 싶던
부족하고 어린 우리의 작은 기억 하나하나가
이제는 힘들 때마다 꺼내 보는 소중한 추억이 되었다.

그 시절 앳된 모습이 기억나지 않을 정도로 나이를 먹고
몇몇 친구는 결혼해서 얼굴 보기도 힘들다.

어렵게 만나기라도 하면
회사에서 힘들었던 일,
가장으로서 무거운 짐, 잠시 내려놓고
우리가 함께한 철없던 그때로 돌아간다.
부탁할 일 있을 때나,
친구들 결혼식장에서나 가끔 볼 수 있지만
하루하루 자신의 자리에서 성장하는 우리가 되기를 응원한다.

들뜨는 이 기분 참 좋다

오늘은,

연락이 끊긴 친구에게

'좋은 하루 보내'라고 메시지를 보내야겠다.

우리는 연락이 끊긴 거지

마음이 끊긴 건 아니니까.

그 좋은 날

기분이 좋은 날엔

당신을 만나고 싶어요.

이 좋은 기분을

혹시 나눠 줄 수 있을까 해서.

"오늘도 수고했다.

그 피곤, 지침, 힘듦
모두 현관 앞에 두고 들어가기로 하자.
집에서는 다 잊고 네가 쉬었으면 좋겠으니까.

내일 다시 모두 다 들쳐 매고 갈지라도."

현실적인 조언 대신
오늘도 수고했다고, 잘 견디었다며
나를 알아주는 말이 좋을 때가 있다.

일상에 지친 나를
가볍게 안아주는 것 같아서…

들뜨는 이 기분 참 좋다

내가 걱정이 많아서 잠을 못 이루거나,
밥을 잘 못 먹을 때도 당신은 그랬다.

기대하자고,
결과가 좋을 거라고, 내일은 더 괜찮을 거라고,
기대와 달라서 조금 아플 수도 있지만

겨울이 아무리 추워도
결국 봄은 올 거라고.

너에게 분명 올 거라고.
그 좋은 봄날.

#03

참 고맙다 내 맘 알아주는 너

꿈꾸는 대로

한번 해 보겠다고

제대로 마음먹으면

너만큼 잘하는 사람

나는 못 봤다.

/

어릴 때는 좋아하는 것도, 하고 싶은 것도 많았다.
꿈을 꾸는 것만으로도 행복했다.
하지만 현실의 벽에 부딪히면서
자신감도 많이 잃고, 꿈조차 꾸지 않게 되었다.
하고 싶은 것보다는
지금 내 스펙에 할 수 있는 것이 무엇인지 찾았다.

하지만 꿈꾸는 걸 포기하기에는
우리 주변에 너무 많은 희망의 증거가 있다.

얼마 전, '스펙을 깬 사람들' 이라는 기사를 본 적이 있다.
그 기사를 보기 전 아나운서는
소위 명문대 출신만 되는 건 줄 알았고,
패션 디자이너로 성공하려면
해외 유학을 다녀와야 하고 돈도 많아야 하는 줄 알았다.
하지만 유명 아나운서 중에는 평범한 수도권 대학 출신도,
고등학교만 졸업한 사람도 있고
세계적으로 주목받는 유명 디자이너 중에는
편입생 출신도 있었다.

나도 처음 책을 냈을 때
'저것도 시냐?'
'문학을 전공하지도 않고 무슨 시를 써.'라는 말을
정말 많이 들었다.
하지만 꾸준히 시를 썼고
그 해에 발행한 책은 베스트셀러가 됐다.

자신이 세운 목표 안에서 성공하고
행복해하는 사람은 생각보다 많다.

시작도 하기 전에,
도전도 하기 전에 겁먹지 말자.

그 누구의 말도 듣지 말고

그 누구의 삶도 따라 하지 마라.

너는 그냥 너니까.

참 고맙다 내 맘 알아주는 너

/

시를 쓰기 한참 전부터 내겐 꿈이 있었다.
매일매일 조금씩 써 내려간 시를 모아서 책으로 만들기.
하지만 작가도 아닌 내가, 무슨 수로 책을…
취준생이던 내가 해야 할 일은
원고를 쓰고 그림을 그려서 책을 쓰는 대신
이력서를 다듬고, 다양한 인턴 경력을 쌓고
토익 점수를 올려서 빨리 취업하는 거였다.
그런데 SNS에 시를 연재하면서 그 꿈을 조금 빨리
이룰 수 있겠다는 생각이 들었다.

SNS에 올린 시가 50편이 되었을 때,
시를 A4 용지에 옮겨 쓰고 미술을 전공한 동생에게
시에 맞는 그림을 부탁해서 글 50개,
그림 50개를 만들어 동네 제본집에 갔다.
수십 곳이 넘는 제본소 사장님들은 하나같이
당혹스러워하며 거절했다.
"이게 뭐야? 대학 교재도, 작품집도 아닌 것 같은데,
이걸로 뭘 만들어?"

원래 부끄럼이 많은 성격이라 거절을 당하면 포기할 법도 한데,
한 가지만 생각하기로 했다.

'무슨 일이 있어도
이 원고로 꼭 책을 낼 거야!'

명확한 목표가 있어서 부끄러움도 잊은 채 계속해서
제본집을 찾아다녔고, 저렴한 가격으로
이틀 만에 책을 만들어 준다는 곳에 원고를 맡겼다.
이틀이 지나고 책을 찾으러 가는데
분만실에 내 아이를 만나러 가는 것 같은 기분이 들었다.
누가 뭐라 해도 소중한 내 책이었다.
그 책을 안고 집에 와서 부모님께도 드리고
친구들에게도 나누어 주었지만 다들 별 반응은 없었다.
부모님은 취업 준비나 하라고 하셨고
친구 중 한 명은 냄비 받침으로 썼다.
그 책을 좋아하는 사람은 나 하나뿐이었다.

이 경험을 계기로 소심쟁이에
사람들 눈을 지나치게 의식하던 나는 많이 성장했다.
작은 행복은 남들이 알아주고 칭찬해 줄 때 얻을 수 있다.

하지만 진정한 행복, 평생 잊지 못할 행복은
나 스스로 만들어 가는 거다.
다른 사람들의 평가나 잣대는 중요치 않다.
그 가치를 나만 느껴도 내가 행복하고 좋으면 그걸로 됐다.
그리고 나는 스스로 행복을 만들고 있다.

지금은 미래가 불투명해 보이고, 막막할지라도
다른 사람과 비교하며 자신을 괴롭히지 말자.
지금 힘들어도 우리는 평생 기억될 만한
큰 행복을 만들어 나가는 과정에 있다는 걸 기억하자.
어떤 꿈을 이뤘을 때
내 인생 최고의 순간으로 기록될지 고민하고 실천해 보자.

CAMPAIGN
50,000
SUBSTITUTE
DESIGN
STUDIO

고민만 하다 포기하지 말고,
영화 〈라라랜드〉의 세바스찬과 미아처럼
인생을 마주하자.

'꿈꾸는 그대를 위하여.
비록 바보 같다 해도
상처 입은 가슴을 위하여,
우리의 시행착오를 위하여!'

버킷리스트

예쁜 카페 갈래?

맛있는 밥 먹으러 갈래?

시원한 바다 보러 갈래?

같이 가자.

나는 널,

행복으로 데려다 주고 싶어.

/

내 이름으로 된 책 내기

많은 사람의 버킷리스트 중 하나이다.

시집을 내고 싶어 하는 사람들이 나처럼
기분 좋은 경험을 해 봤으면 하는 마음에
시 쓰기 모임을 진행한 적이 있었다.

시집을 내고 싶어 하는 사람들을 모아서
일주일에 한 번씩, 10주 동안 모여 시를 썼다.
참가자가 쓴 시를 내가 조금 수정해 주기도 하고
함께 제목을 고민하기도 했다.

첫 주에 참가자들에게 말했다.
"적어도 60편은 써야 시집을 만들 수 있어요."
모임에 나온 사람들은 시작도 하기 전에 절망했다.
한 편도 쓰기 힘든데 60편을 쓰라는 말에
어떻게 써야 할지,
2주 차, 3주 차 계속 절망스러웠을 거다.
몇 주가 지나도 절반인 30편도 못 썼다.

하지만 마지막 주가 되고 대부분 참가자는
50편을 넘게 썼다.
모든 일은 80% 정도 완성되면 쉬워진다.
80%가 완성된 상태에서 절망하고
포기하는 사람은 거의 없다.

나는 참가자가 힘들어할 때마다
막막해할 때마다 말했다.
"이틀에 한 편만 쓰세요. 정 안 되면 삼 일에 한 편 쓰세요.
60편은 잊어버리고 짧게 짧게 나누어 생각하세요."

60편이라고 하면 거창해 보이지만,
단순하게 계산해 보는 거다.
10주, 70일 동안 이틀에 한 편 쓰면
35편 정도밖에 되지 않는다.

인생도 시를 쓰는 것과 크게 다르지 않다.
결혼도 하기 전에
'언제 돈을 모아 집을 장만하지,
교육비도 많이 드는데 아기를 낳아
언제 키우고 어떻게 뒷바라지하지…'
미리 고민부터 하고
걱정하다 시작도 하기 전에 포기하는 사람이 많다.

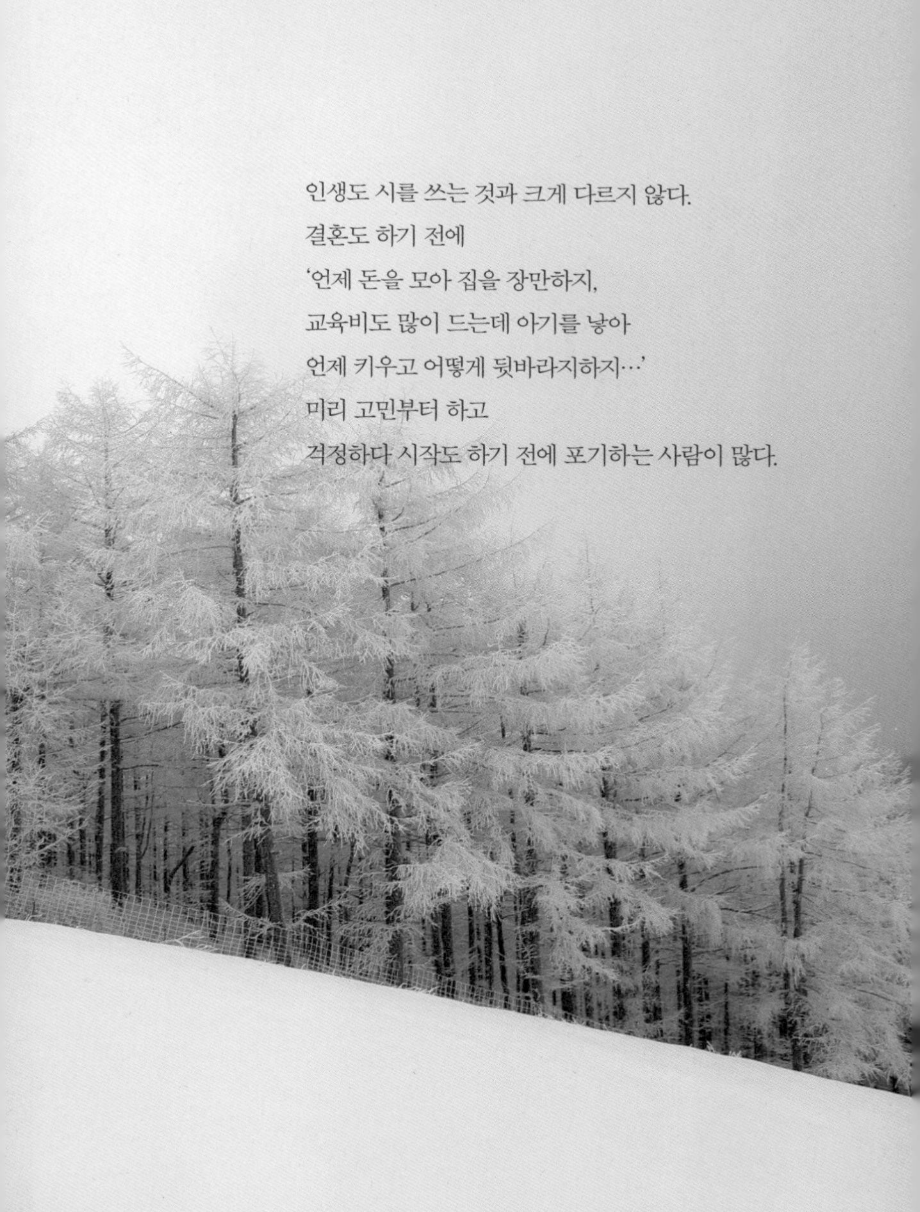

그냥 단순하게 생각해 보자.

일단 이번 달 잘 살아 내기.
이번 주에 만나는 내 사람에게 잘 해 주기,
다음 주에 있는 미팅을 꼼꼼히 준비하는 것처럼
내 앞에 놓인 것에만 집중한다면,

나도 모르는 사이에
행복으로
삶이 완성되어 갈 거다.

비디오
정방형

행복은 그런 거더라고

장난만 치던 친구의
따뜻한 말 한 마디,
내 이야기 같은
짧은 글 한 편,
별 탈 없이
괜찮게 마친 하루.

행복은
그냥 그런 거더라고.

/

"오늘 좋은 일 있어?"
취업 고민에 하나 같이 지친 표정으로 강의실에 들어오는데,
여자 동기가 설레는 표정으로 앉아 있길래 물었다.

"오빠, 벚꽃비 맞아 봤어?"
어제 과제 때문에 밤새워서 너무 힘들었거든.
중앙 광장으로 들어서는데, 벚꽃잎이 흩날리는 거야.
그대로 멈춰 서서 벚꽃비를 맞는데,
부드러운 바람 소리도 좋고,
풀 냄새, 꽃향기도 참 좋더라."
"지칠 때 그때의 설렘을 기억하며 중앙 광장에 서 있으면
좋았던 기억이 오롯이 느껴질 것 같아."

평소에도 그 동기는 일상을 선물처럼 받아들이는 친구다.
작은 기쁨은 아무 것도 아닌 것으로 여기고
이미 지나가서 되돌릴 수도 없는 일에 집착하고
힘든 일만 확대 해석하는 사람이 많은데,
소소한 일도 선물처럼 생각해서
곁에 있으면 행복해지는 그런 친구다.

동기들과 함께 걷다가
구름 한 점 없이 맑은 하늘을 보면
"여기를 보세요. 치즈~" 하면서
우리를 핸드폰 앵글에 몰아넣고 웃게 한다.

카톡으로 '오늘 하늘처럼 항상 쨍한 우리들'이라는
메시지와 함께 사진을 보내
취업 걱정으로 웃을 일 없던 우리를 자주 웃게 했다.
표정도, 마음도 밝고
같은 말도 참 예쁘게 한다.
그래서 그 동기를 보면 빨강머리 앤에서 읽었던 문장이 떠오른다.

'정말로 행복한 나날이란,
진주 알들이 하나하나 한 줄로 꿰어지듯이
소박하고 자잘한 기쁨들이
조용히 이어지는 그런 날들이에요.'

참 고맙다 내 맘 알아주는 너

구름 한 점 없는 파란 하늘,
붉게 물든 저녁 하늘, 봄을 알리는 새순,
이런 소소한 것에서 행복을 찾을 수 있다면
매일매일을 멋진 날로 만들 수 있을 것이다.
소소한 행복과 마주할 때마다
감사한 마음으로 조금은 과장되게 반응해 보자.

무슨 일이 생기든 어떤 상황이든
당신의 기분을 정하는 건 당신이고

그건
항상 작은 생각 하나로부터
시작되니까…

너를 믿어

인생은

'누가 결승선까지 빨리 가느냐'가 아니고

'누가 결승선까지 가는 길에

예쁜 것을 많이 보느냐'라고생각해.

참 고맙다 내 맘 알아주는 너

/

우리는 현실에 치여 살며
꿈을 잊고 있다가
잠이 들고서야 비로소 꿈을 이룬다.

다시 아침이 와
현실에 눈을 뜨면
꿈은 쉽게 사라지지만
마음속에 항상 있는 꿈들이
또 하루를 살게 한다.

잘하고 있든, 다 포기했든
잘 가고 있든, 잠시 멈춰 있든

함께있든, 혼자 있든
어디서 어떻든

나는 무조건
네가 행복했으면 좋겠어.

앞날에 대해

불안해하거나 걱정하기에는

네가 지금까지

해 온 노력이 너무나 충분해.

가까웠던 사람과 이유 없이 멀어지고,
믿었던 사람에게 상처받고,
너와 아무 관계 없는 사람이 이유 없이 힘들게 해서
아파하는 너에게 해 주고 싶은 말이 있어.

좋으면 좋다고 말하고
싫으면 아무 생각하지 말고 떠나.
겸손할 때 겸손해도
자랑하고 싶은 일 있으면 자랑하고,

네 인생에 들어와서
널 힘들게 할 자격이 없는 사람들 눈치 보고,
휘둘리지 마.

네 감정은 아무것도 아닌 게 아니야.
넌 특별해.

널 아무 이유 없이 긴장하게 하는 사람들이 있다면
힘들어하거나 피하지 마.

대신 마음속으로 이렇게 외쳐 봐.
'야! 쫄기는! 그 사람 별 거 아니야.'
어깨 쭉 펴고 당당하게 말해.
넌, 충분히 잘 해내고 있잖아.

다른 사람 때문에 아파하기에는

너의 삶은
충분히 완벽하고
아름다우니까.

아프다… 이별

널 만나면서 내가 웃음이
이렇게 많은지 처음 알았어.

널 만나면서 내가 애교가
이렇게 많은지 처음 알았어.

널 만나면서 내가 표현이
이렇게 많은지 처음 알았어.

널 만나면서 내가 질투가
이렇게 많은지 처음 알았어.

그리고 너와 헤어진 뒤
내가 눈물이 이렇게 많은지도
처음 알았어.

아프다… 이별은,
쉬운 이별, 착한 이별은 없다.
만약 이별이 아프지 않았다면 사랑하지 않았던 거다.

마음이 너무 아파서 그 사람을 믿은
자신이 원망스럽고,
나에게 다가온 그 사람이 미워진다.
처음으로 돌아가 차라리 만나지 않았다면 어땠을까,
생각하기도 한다.
하지만 이별 후에 이렇게 힘들다는 건
사랑한 동안 더없이 행복했다는 반증이다.

당신은 잘했다.
사랑하지 않았다면 아프지도 않다.
그러니 최선을 다해 사랑한 당신은
충분히 아파해도 된다.

하지만 종종 그 아픔이 무서워
다음 사랑을 피하는 사람이 있다.
그러지 말자.
사랑하고, 아프면서 배우고, 성장한다.
그게 사랑하며 살아가는 것이다.

마음껏 사랑하기에
당신은
부족함이 없다.

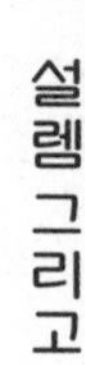

설렘 그리고 기다림

우리 여행 갈까?

네가 사랑하는 계절로

데려다 줄게.

/

여행을 다녀 왔다.
그런데 여행 중에
내가 항상 가졌던 큰 것을 하나 잃어버렸다.
걱정.

나를 설레게 하고,
지친 나를 다시 일어나게 하는 건 단연 '여행'이다.
여행의 힘은 놀랍다.

한 번의 여행으로 여러 번의 행복이 찾아온다.
어딘가를 여행하고 싶어지면
그곳에 가 있다는 상상에 행복해진다.
여기서 끝나지 않는다.
일상으로 돌아와서도 추억을 떠올리며 행복해진다.

일상과 여행은 반대되는 말이다.
하지만 여행에서 얻는 행복을 극대화하는 방법은
오히려 일상에 충실하는 것이다.

반복되는 일상이 지루하다고만 생각하지 말고
하루하루 최선을 다 한다면,